LAS TRES MELLIZAS

EL DR. FRANKENSTEIN

©1999, Cromosoma, S.A. y Televisió de Catalunya S.A.
©1999, Salvat Editores S.A.

Ilustraciones: Roser Capdevila
Fotografías: Kobal, Salvat, Zardoya
Texto ficción: Mariona Anglès y Mireia Broca basado en
          el guión cinematográfico de Francesc Orteu,
          Gabriel Perelló y Gabriel Salvadó
Texto no ficción: Lola Casas y Jesús González
Diseño de la colección: Loni Geest
Maquetación 1a. parte: Adriana Perón, anna, Gemma Pujol,
          Núria Oriol y Juanjo Ponce
Maquetación 2a. parte: Loni Geest
Edición 1a. parte: Bet Ballart
Edición 2a. parte: Aurèlia Vigil
Traducción 1a. parte: Rosa Martínez Alfaro
Traducción 2a. parte: Aurèlia Vigil

ISBN: Obra Completa: 84-345.6878-0
          Tomo XI: 84-345.6945-0
Depósito legal: B-49.328-1999
Impreso en GESA
Impreso en España

Dibujos
Roser Capdevila

CROMOSOMA

SALVAT

Las Tres Mellizas han
provocado un accidente aéreo.
¡Y la víctima
es la Bruja Aburrida!

Está hecha cisco,
pero no piensa ni por asomo
ir al médico,
¡que vayan las Mellizas!

Las niñas van a parar al sótano de un castillo, a una sala de operaciones muy rara. El doctor Frankenstein está operando las alas de una vaca. Pero... ¿desde cuándo las vacas vuelan?

–Gracias, doctor –dice el dueño de la vaca voladora. Está muy contento porque su vaca podrá volver a volar como un pajarillo.

¡Las Mellizas han llegado en el momento oportuno! El doctor está muy ocupado y no puede atender a tanta gente. Las niñas le ayudarán.

Tres enfermeras mellizas

El reloj marcaba las quinientas cuando acabaron la operación de una gallina con cola de sardina. ¡Qué sueño! Es hora de ir a dormir...

La alarma suena. ¡Aquí no se pega ojo! ¡Es una urgencia y el doctor se va en ambulancia! Por la mañana, las enfermeras empiezan a trabajar.

El doctor Frankenstein está tan exhausto que decide fabricarse otro ayudante.

De pronto, se le ha ocurrido una idea. ¡Vamos,
al quirófano! No saldrán de ahí hasta que no
hayan acabado el monstruo. Sí, ¡el monstruo!

Una nariz por aquí, un poco de hilo por allá, un cerebro... Todo va sobre ruedas. Muy pronto, el doctor tendrá un ayudante.

Hay que esperar que la naturaleza diga la última palabra. Se acerca una tormenta y la electricidad de los rayos debe dar vida al monstruo.

¡Por todas las gallinas con cola de sardina!
¡Rayos y centellas!
–¿Y ahora qué, doctor? –pregunta Elena.

–¡Ya tiene vida! ¡Está
vivo! –gritan todos.

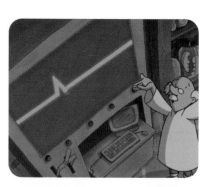

El recién nacido
duerme como un
tronco. No hay tiem-
po para echar una
cabezadita: es hora de
abrir el consultorio.

El doctor ordena que
el monstruo se encar-
gue de conducir la
ambulancia.

Pero ¿cómo va a conducir si casi no sabe
andar? Tiene que aprender tantas cosas...

El accidente

¡El monstruo está a punto de atropellar a medio pueblo! El doctor creía que sabría conducir. Pero ¡si hace cinco minutos que ha nacido!

Sólo falta que Aburrida, disfrazada de abeja, se instale en el cerebro con la música a todo gas. ¡El trompazo es inevitable!

El castigo

Lo que podía haber sido una fiesta, tiene un final desastroso. Al doctor le da un berrinche cuando le cuentan el accidente de la mañana.

Decide encerrar al monstruo en la torre. ¡Es un
peligro! De ahora en adelante sólo le acompa-
ñará la música de la Bruja Aburrida.

Lo tratan como un monstruo, pero él se siente humano. Está harto de estar hecho de remiendos y ha decidido marcharse.

–¡Buenos días! ¡Te traemos un vaso de leche!

Las Mellizas han llegado tarde. Su amigo se ha escapado y, con él, también se han ido todos los animales raros del pueblo.

A los vecinos les da miedo el monstruo. Quieren atraparlo y encerrarlo.

El monstruo ha dejado una nota pidiendo disculpas y despidiéndose de su padre. Sí, de su padre. Llama papá al doctor Frankenstein...

Las Tres Mellizas encuentran al monstruo y le ayudan a librarse de la música de Aburrida, que lo estaba volviendo loco.

Ahora tienen que volver a casa volando.
¡Caramba! ¡Qué taxi tan divertido!

Los vecinos están muy enfadados. El doctor los tranquiliza diciéndoles que el monstruo es hijo suyo y que ahora lo querrá y lo educará.

Un final feliz

El pueblo entero se reúne en la cantina para celebrarlo y dar la bienvenida al nuevo hijo del doctor, que demuestra tener dotes de músico.

Y aquí los tenéis:
un hombre
y su creación
fundidos en un abrazo.
Las Tres Mellizas
ya han hecho bastante.
Tienen que volver a casa volando,
si no, sus padres se preocuparán.

Quieres saber...

LOS ORÍGENES DE LA HISTORIA

¿QUÉ EXPLICA LA OBRA?

Un médico inquieto e impetuoso, el doctor
Frankenstein, quiere crear un ser
a partir de restos de cadáveres humanos.

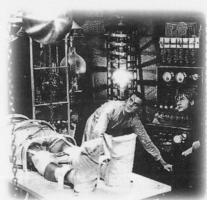

Como resultado de sus experimentos,
crea un ser extremadamente fuerte, feo
y deforme, que provoca el pánico con su
presencia y es rechazado por todos, pese a
que sólo busca afecto y comprensión.

Al darse cuenta de que es diferente de los seres humanos, el monstruo pide al doctor que cree una **mujer** parecida a él, para tener una compañera. El científico se niega y esto provoca la desesperación del monstruo, que decide **vengarse** de forma terrible. Huyendo de los humanos, se refugia en las tierras del polo Norte, hasta donde lo perseguirá el doctor. Finalmente, creador y criatura desaparecerán entre el frío y el hielo de esta desolada región.

MARY SHELLEY Y EL ORIGEN DE FRANKENSTEIN

La novelista inglesa Mary Wollstonecraft Shelley vivió entre 1797 y 1851. Según ella misma explica, una noche de junio de 1816, durante una estancia en Suiza, se hallaba en compañía de un grupo de escritores y artistas, entre los que había dos grandes poetas ingleses: Percy B. Shelley, que más tarde sería su esposo, y Lord Byron.

Como el tiempo era frío y lluvioso, para distraerse contaban historias de **fantasmas**. Esto les condujo a una **apuesta**: cada uno escribiría una historia sobre un tema sobrenatural, lo más terrorífica posible. En aquel momento Mary Shelley sólo tenía 18 años. Al final, fue la única en cumplir la apuesta.

En la época de Mary Shelley estaba de moda la **novela gótica**, que buscaba provocar miedo a partir de elementos extraños y fantasmagóricos. La primera obra de este género se ambientó en un castillo gótico, de ahí el nombre.

FRANKENSTEIN EN EL CINE

Si Frankenstein es una obra tan popular hoy en día, en parte se debe a que se han hecho numerosas adaptaciones para el cine. Hasta la actualidad se han filmado más de veinte películas con el monstruo como protagonista.

La versión más famosa es la de 1931, en la que el actor **Boris Karloff** encarnaba a una criatura colosal, de cabeza cilíndrica llena de costurones y tornillos, que se ha convertido en un mito del cine.

El jovencito Frankenstein, en cambio, es una versión divertida y alocada del mito. Entre otras sorpresas que buscan hacer reír al espectador, encontramos que esta vez el doctor se llama «Fronkonstin».

La adaptación más reciente es **Frankenstein de Mary Shelley**, que es también la que sigue más fielmente el relato original.

LA CIRUGÍA, UNA TÉCNICA SORPRENDENTE

Para poder crear al monstruo, el doctor Frankenstein necesitaba tener conocimientos de cirugía.

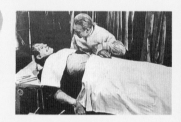

Durante siglos, la práctica de la cirugía estuvo separada del resto de la medicina. De hecho, los cirujanos no eran considerados médicos, y eran los **barberos** quienes realizaban las operaciones, muy elementales, como sacar una muela, vendar una herida o inmovilizar una fractura.

Esta situación empezó a cambiar en el siglo XVI, sobre todo a partir de los estudios de anatomía de **Ambroise Paré** (1509-1590).

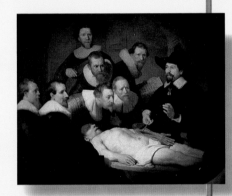

La auténtica revolución en cirugía se produjo el siglo XIX, al descubrirse que, con ayuda de determinados gases, se podía evitar el **dolor** durante las operaciones (anestesia). También se halló la manera de preparar el entorno de la operación y los utensilios quirúrgicos para impedir las **infecciones**.

CURIOSIDADES

Los ojos de una persona pueden distinguir 10.000.000 de tonos de colores diferentes.

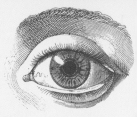

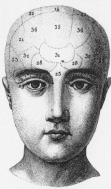

El cerebro puede recordar 50.000 olores diferentes.

La piel del cuerpo se está renovando continuamente. Cada día se desprenden células de piel muerta en pequeñas laminillas sin que nos demos cuenta...

Al nacer, un niño tiene 300 huesos. Una persona adulta tiene 206. Durante el crecimiento no se pierde ningún hueso, sino que 94 de ellos se unen.

El 60% de nuestro cuerpo está formado por **agua**.

Los cerdos y los seres humanos son los únicos mamíferos terrestres que no tienen el cuerpo cubierto de **pelo**.

Por venas y arterias pueden circular hasta 4,5 litros de **sangre**.

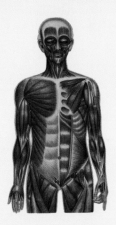

El cuerpo humano tiene 650 **músculos**. Para caminar utilizamos 54. Para sonreír 17 y, para poner cara de enfadados, 43.

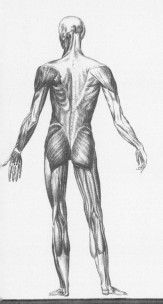

No hay dos personas en el mundo que tengan las **huellas dactilares** iguales.

VOCABULARIO

Sala de cine

Acomodador: Persona que se encarga de indicar los asientos que los espectadores deben ocupar cuando la película ha empezado.

Bar: Establecimiento donde los espectadores se proveen de golosinas, palomitas y bebidas que consumen durante la proyección de la película.

Butacas: Asientos dispuestos en filas delante de la pantalla. Las butacas de las salas modernas son más cómodas; incluso cuentan con un soporte para sujetar las bebidas.

Equipo de sonido: Conjunto de aparatos que permite que los diálogos, música y efectos sonoros de la película lleguen a los espectadores.

Espectadores: Personas que asisten a la proyección de una película.

Máquina de proyección: Aparato donde se coloca la película para ser expuesta en la pantalla.

Multisalas: Conjunto de salas de cine que se encuentran en un mismo edificio y exhiben distintas películas.

Palomitas: Copos de maíz tostado que, endulzados o salados, se consumen habitualmente en las salas de cine.

Pantalla: Superficie blanca de materia textil o plástica sobre la que se proyectan las imágenes.

Papelera: Objeto que hay que utilizar para tirar los envases de las bebidas y los envoltorios de las golosinas a la salida de la sala.

Película: Historia explicada mediante imágenes que se proyecta en la pantalla.

BIBLIOTECA

La novela
M. SHELLEY: *Frankenstein*.
Barcelona, SM, 1997.

**Algunos libros
de monstruos**
C. BRAM: *El padre
de Frankenstein*.
Barcelona, Anagrama,
1993.
D. BOSWELL Y K. PAUL:
*El monstruo de la
montaña de color
púrpura*. Barcelona,
Montena, 1998.

El cuerpo humano
*Mi primer libro del cuerpo
humano*. Barcelona,
Molino, 1995.

VIDEOTECA

**Versiones de
Frankenstein
(para ver con adultos)**
Dr. Frankenstein, de
J. WHALE (1931).
La novia de Frankenstein,
de J. WHALE (1935).
El jovencito Frankenstein,
de M. BROOKS (1974).

**Personajes creados
como Frankenstein**
Eduardo Manostijeras,
de T. BURTON (1990).

Dibujos animados
*Pesadilla antes de
Navidad*, de H. SELIK
(1993).

INTERNET

Las tres mellizas: www.lastresmellizas.com
Frankenstein:
www.nlm.nih.gov/hmd/frankenstein/frankhome.html
(en inglés)
Sobre medicina:
www.med.harvard.edu/AANLIB/home.html
(en inglés)
www9.biostr.washington.edu/da.html (en inglés)
Pesadilla antes de Navidad:
www.halloweentown.com/ (en inglés)

MULTIMEDIA

El cuerpo humano 2.0.
Barcelona, Zeta
Multimedia, 1997.

OTROS

Discografía
«Historia de vampiros»
(canción), de
J. M. SERRAT.

Bandas sonoras
Eduardo Manostijeras,
de D. ELFMAN (1990).
*Pesadilla antes de
Navidad*, de D. ELFMAN
(1993).

LA BIBLIOTECA DE

Las Tres Mellizas